SERRE

LE SPORT

Préface de Bernard Haller

éditions jacques glénat

Du même auteur chez le même éditeur :

préface

Public — Jardin — Cour Jardin — Cour — Jardin — Cour Jardin — Cour Jardin — Cour

A) TROUVE UNE POMME. LA MANGE. DANSE DE DIGESTION. CRACHE LES PÉPINS. EN GARDE PRÉCIEUSEMENT UN.

B) PLANTE LE PÉPIN. JETTE LA TERRE DERRIÈRE LUI. CONTENT. TRANSPIRE.

C) RECOUVRE LE PÉPIN SOIGNEUSE-MENT. ÔTE PETITS CAILLOUX AVEC AMOUR.

D) ARROSE AVEC CONSCIENCE. S'ARROSE LUI-MÊME. EN RIT.

E) L'ARBRE POUSSE. JOIE.

F) DANSE DE JOIE. L'ARBRE GRANDIT.

G) L'ARBRE DEVIENT DE PLUS EN PLUS BEAU, AU BOUT DE TROIS TOURS DE DANSE.

H) AMOUR. CŒURS GRAVÉS. FÉLICITÉ.

Tu sais Jeanne c'est difficile
pour moi de dessiner j'ai
honte quand je vois ce que
tu fais ! Voilà une histoire
pour la sienne qui est une
petite soeur pour tes histoires
sur papier !
Avec ma tendresse & mon
admiration , salut Jeanne

Ha ! Ha ! Ha ! Ha ! Ha !!   Haller

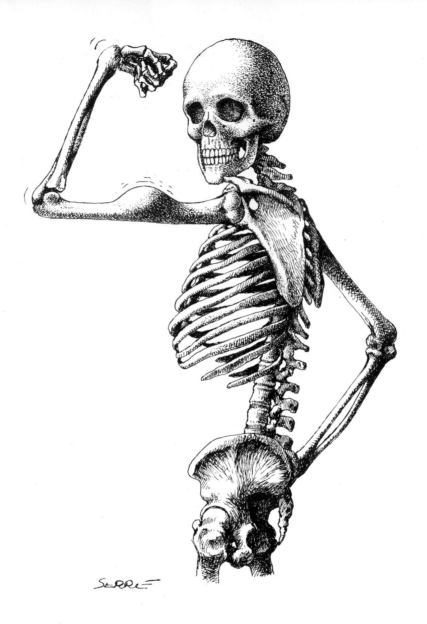

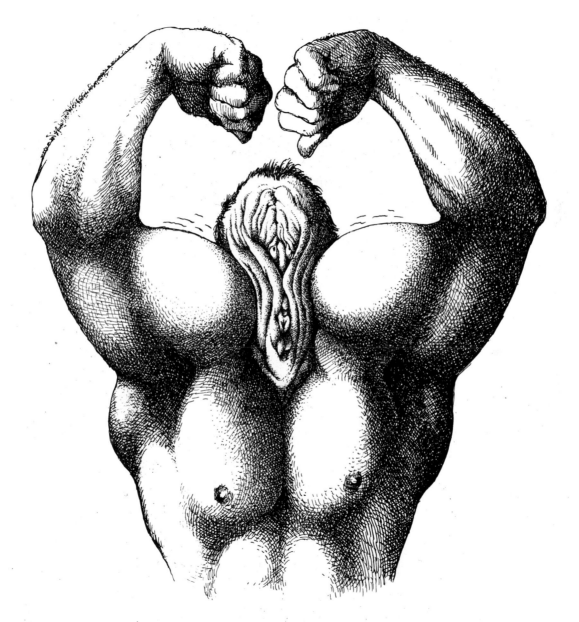

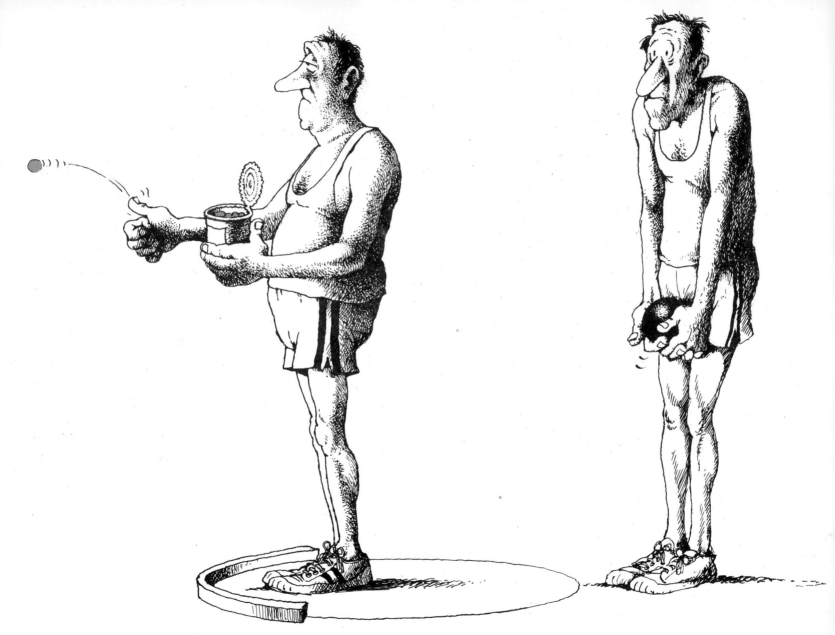

SERRE

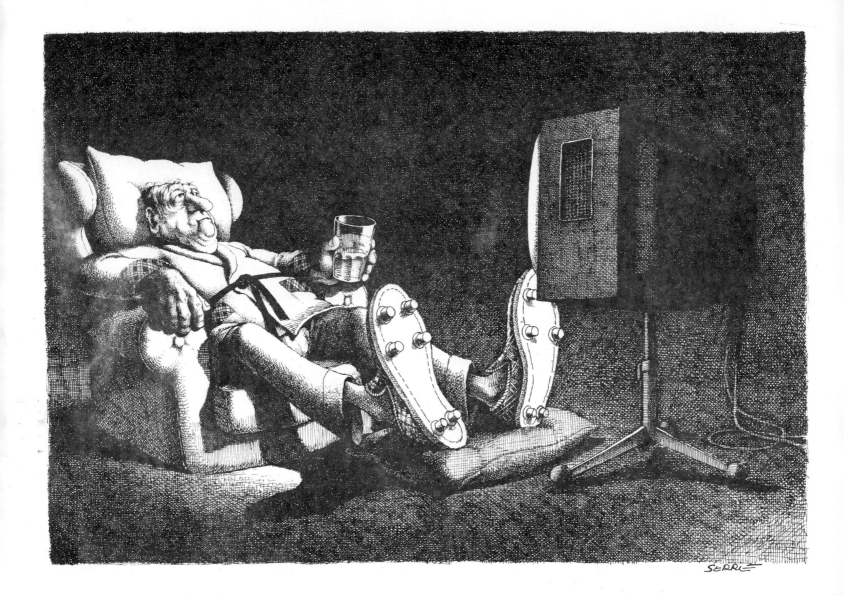

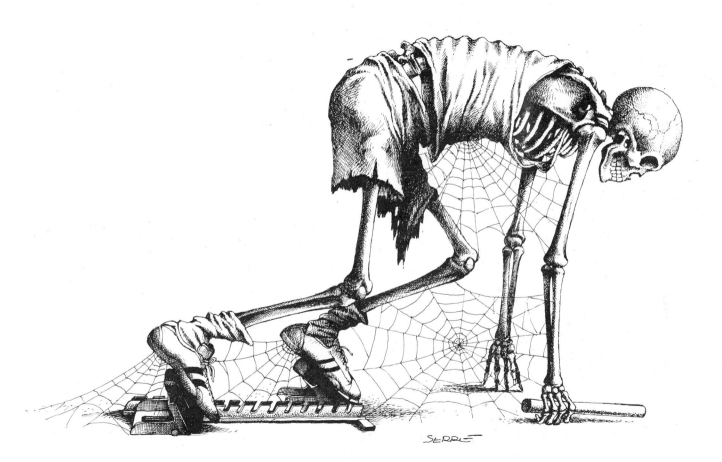

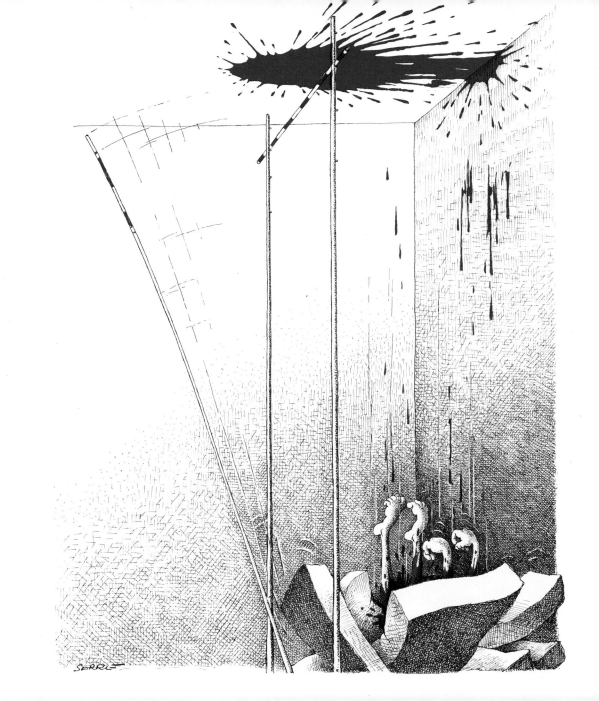

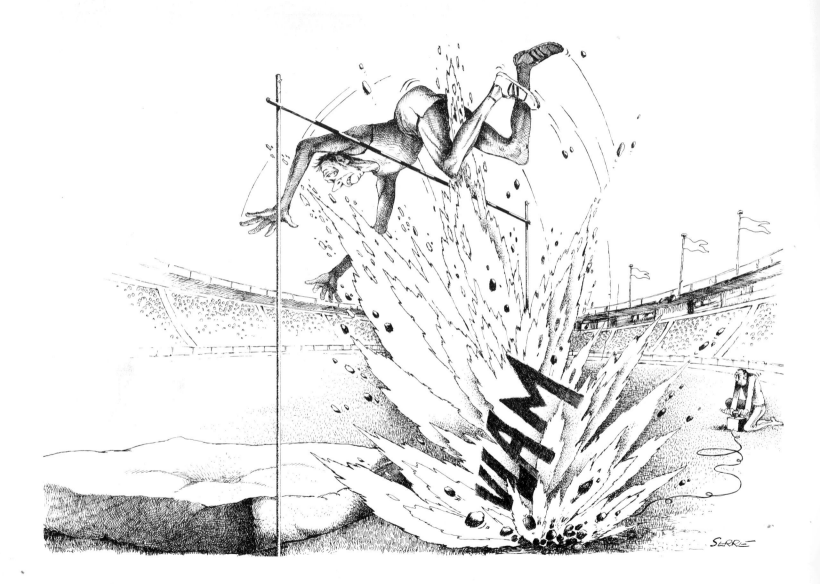

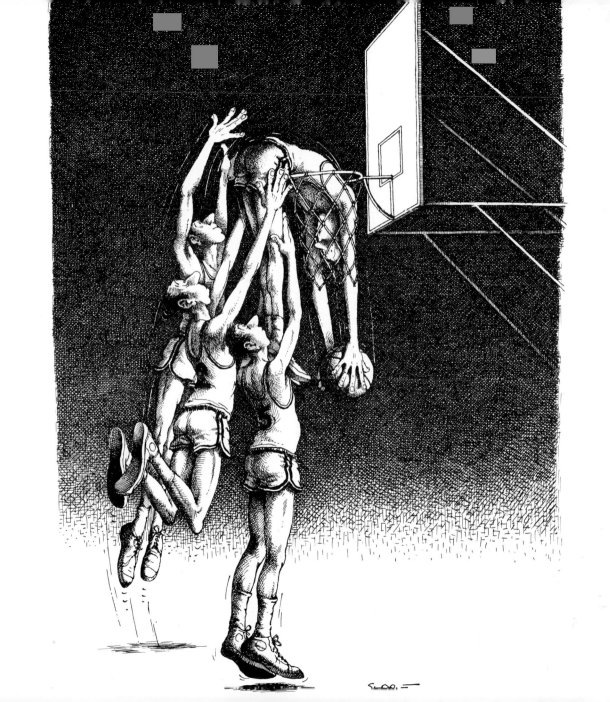

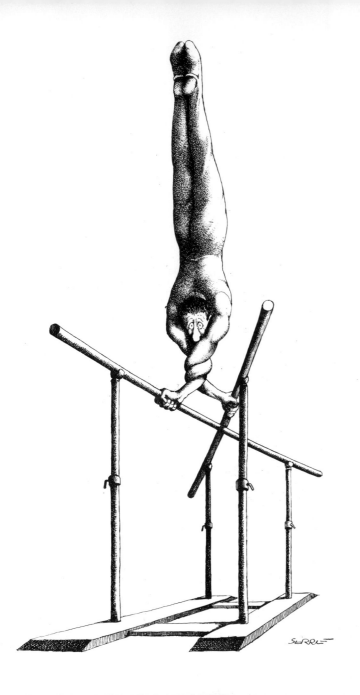

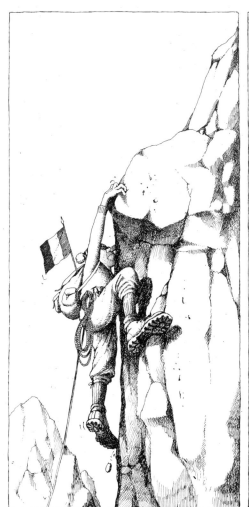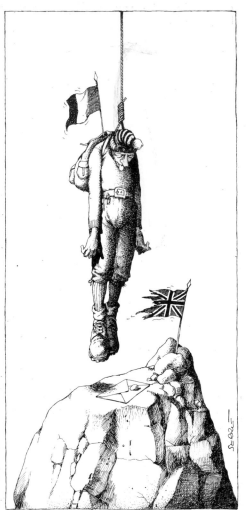

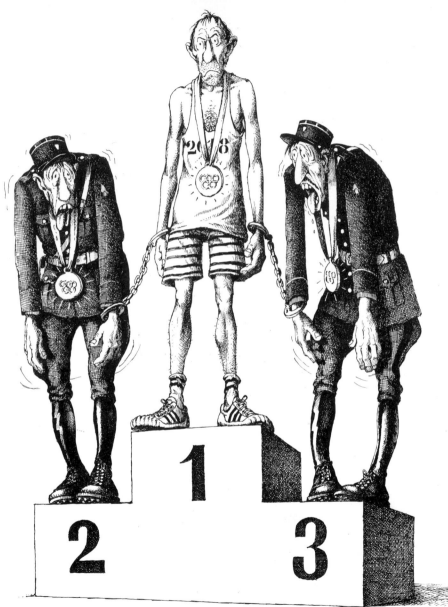

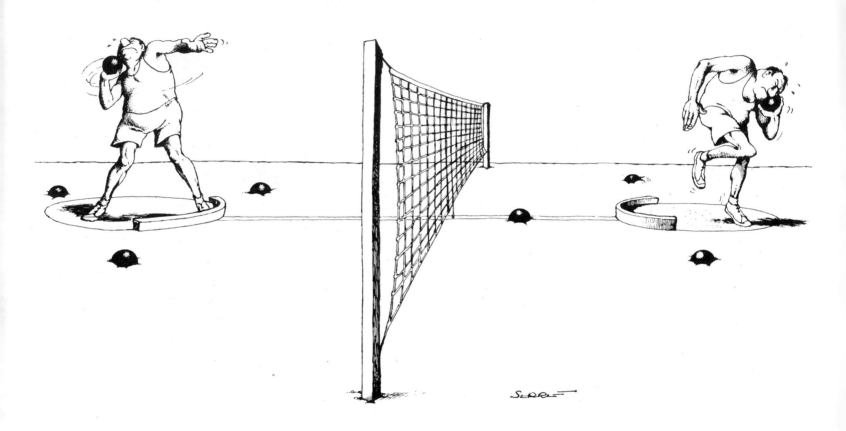

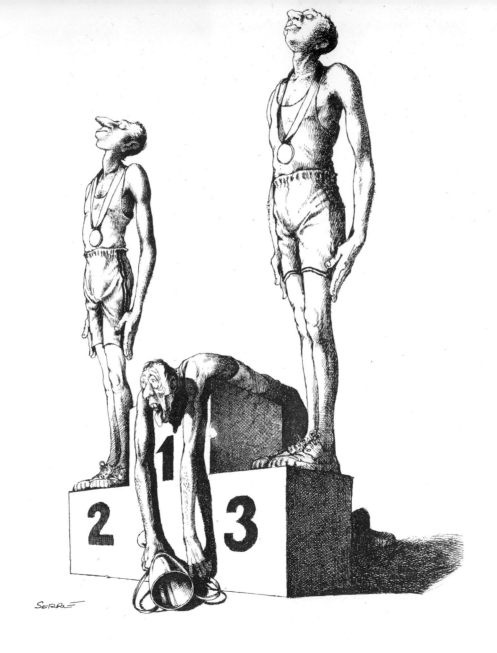

Photo X

Claude Serre est né le 10 novembre
1938 à Susy dans la région parisienne.
Il fait partie de la vague de dessinateurs
qui déferla dès 1962 sur les revues
**Planète, Plexus, Bizarre, Pardon,
Hara-Kiri, Pariscope,** etc... auxquelles
il collabora très vite en plus de nom-
breuses expositions.

Sa maîtrise dans des arts parallèles
comme la décoration sur porcelaine, le
vitrail, l'illustration, la peinture, font de
lui un artiste qui se détache du dessin
d'humour classique au profit d'une
forte tendance vers la gravure et le
dessin fantastique, domaines dans les-
quels il peut être placé aux côtés des
plus grands.

Après les médecins de « Humour Noir
et Hommes en Blanc », best-seller cou-
ronné par le prix de l'Humour Noir en
1973, l'auteur s'attaque dans ce deu-
xième recueil au sport et aux sportifs,
qu'il parodie et ridiculise toujours avec
beaucoup d'humour (**noir** le plus sou-
vent), de morbidité et d'absurde, dans
son style habituel, appliqué et tout en
trames finement travaillées.

Imprimé en France par Pollina, 85400 Luçon - N° 4475

Dépôt légal : 2e trimestre 1982